¡Qué monos!

Eduardo Bustos y Lucho Rodríguez

EDICIONES TECOLOTE

Segunda edición: 2014
Primera reimpresión: 2018

D.R. © Eduardo Bustos
D.R. © Lucho Rodríguez

D.R. © Ediciones Tecolote, S.A. de C.V.
General Juan Cano 180
Col. San Miguel Chapultepec,
11850, Ciudad de México
Tel. 5272 8085 / 8139
www.edicionestecolote.com
tecolote@edicionestecolote.com

COORDINACIÓN EDITORIAL: Mónica Bergna
DISEÑO: Ediciones Tecolote

Nuestro agradecimiento a Andrés Stebelski
por su valiosa ayuda

ISBN: 978-607-9365-10-3

¡Qué monos!
se terminó de imprimir en el mes
de julio de 2018.

¡Qué monos!

De muy diferentes tonos
en colores y hasta voces,
hacen del árbol su trono
y adoptan curiosas poses.
¡Es de tus amigos mono
el libro que quiero goces!

BABUÍNO

Al árbol vino,
subió a la copa,
mono babuino
con todo y tropa.

Si por grosero
lo habrán nalgueado
luce un trasero
muy colorado.

CHIMPANCÉ

Tú lo sabes;
yo lo sé:
es muy listo
el chimpancé.

Círculos tiene,
¿cuántos serán?
los que a este mono
formando están.

GIBÓN

Por un error,
por un olvido,
no tiene cola.
¿La habrá perdido?

Este monito
cola no tiene,
desde chiquito
así ya viene.

GORILA

Este gorila
no está enojado
y nos vigila
con gran cuidado.

Con muchas ramas
logra construir
enormes nidos
para dormir.

MACACO JAPONÉS

En Japón vive
siempre contento,
frutos consigue
como alimento.

Es la natación
y la nieve fría
sana diversión
para todo el día.

MANGABEY

Roja crayola
le colorea,
su casco y cola
que se menea.

Muy bien pintados
hay en su cara
párpados blancos
de forma rara.

MONO DE ALLEN

Es elegante,
va donde quiera,
trae por delante
blanca pechera.

Es juguetón
y curioso,
¡ah, qué mono
tan hermoso!

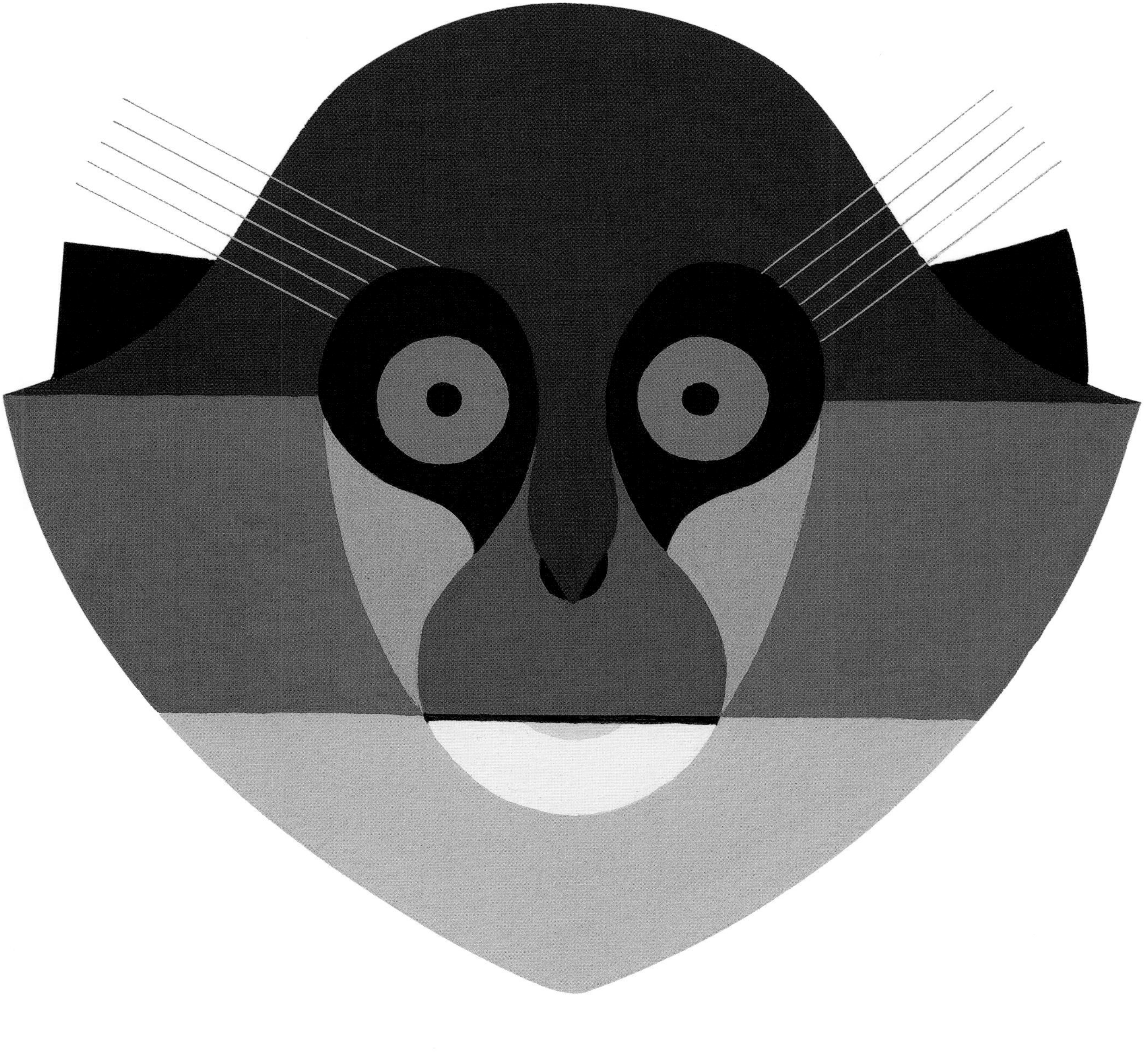

MONO OBISPO

Mono obispo
se me llama,
aunque no visto
sotana.

Sin ser viejo
tengo barba,
me la dejo
siempre larga.

19

PAPIÓN SAGRADO

Mono divino,
mono sagrado,
siempre te miro
muy bien sentado.

Vente conmigo,
mas no te enojes:
yo soy tu amigo.
¿No me conoces?

ORANGUTÁN

Siendo naranja
va por las ramas,
sube que baja
siempre con ganas.

Simios vienen,
simios van,
como el gran
orangután.

En nuestro planeta existen más de doscientas especies de primates, y a todas, con excepción del hombre, se les conoce como monos. La mayoría de las personas saben muy poco sobre estos animales tan cercanos al hombre. ¡En general, desconocen hasta su nombre!

Hay monos de todos tamaños y colores. El más pequeño es el tití pigmeo que cabe en la palma de tu mano, y el más grande es el gorila que pesa unos doscientos kilogramos.

En la naturaleza se encuentran monos negros, grises, blancos y cafés, aunque también hay rojizos, como el orangután, o verdosos, como el mono verde. Otros tienen colores muy llamativos en la cara, como el macaco japonés, o en la cola, como el babuino. Algunos tienen pelo corto y otros, largas melenas. Los hay parecidos a perros, a leones, e incluso a personas.

Es interesante observar sus costumbres. A diferencia de la mayoría de los animales, los monos utilizan las manos para tomar los alimentos y llevárselos a la boca. Su comida favorita, según la especie, consta de hojas, frutos, insectos y hasta carne.

Además, forman su familia de distintas maneras, como por ejemplo los gibones que conservan una pareja toda la vida; en cambio, los papiones sagrados machos se rodean de varias hembras.

Casi nunca tienen más de una cría a la vez. La mamá mona cuida y atiende a sus hijos desde que nacen: los amamanta cuando menos durante un año, los provee de alimento, calor, afecto, seguridad, e incluso los transporta de árbol en árbol.

Los primates son seres fascinantes que nos hacen reflexionar sobre las diferencias y similitudes que tienen con nosotros, los hombres.